Chers amis rongeurs,
bienvenue dans le monde

TÉNÉBREU

D1178511

LE MONDE DE TÉNÉBREUSE

Ténébreuse Ténébrax

Chovsoukri

Bobo Shakespeare

Papi Frankenstäie

Scientifique très distrait, spécialiste des momies égyptiennes.

Journaliste de la vallée Mystérieuse, elle résout les énigmes les plus effrayantes avec Chovsoukri, son inséparable chauve-souris domestique.

Ami de Ténébreuse. Célèbre écrivain.

Mamie Crypte

Frissonnette

Sgnic et Sgnac

Nièce préférée de Ténébreuse.

Passionnée d'araignées, elle possède une tarentule géante nommée Dolores.

Jumeaux taquins, experts en informatique.

Kafka

Cafard domestique de la famille Ténébrax.

Polter

Le majordome

Bébé

Il a été adopté avec amour par la famille Ténébrax.

Poltergeist de son vrai nom, fantôme qui hante depuis toujours Châteaucrâne.

Monsieur Joseph

Majordome de la famille Ténébrax. Il est snob jusqu'au bout des moustaches.

Souterrat

Madame Latombe

Gouvernante de la famille. Dans sa coiffure niche Caruso, un féroce canari-garou.

Anémine

Cuisinier de Châteaucrâne, il rêve de faire breveter son «estouffade d'étouffé».

Papa de Ténébreuse, il dirige l'entreprise de pompes funèbres «Funérailles au poil».

Plante carnivore de garde

Texte de Geronimo Stilton.
*Coordination des textes d'*Alessandra Berello *(Atlantyca S.p.A.) et* Daniela Finistauri.
Coordination éditoriale de Patrizia Puricelli.
Édition de Daniela Finistauri *et* Viviana Donella.
Coordination artistique de Roberta Bianchi.
Assistance artistique de Lara Martinelli.
Couverture de Giuseppe Ferrario.
*Illustrations intérieures d'*Ivan Bigarella *(dessins et encrage)*
et Giorgio Campioni *(couleurs).*
Avec la collaboration de Christian Aliprandi *(couleurs de la carte des pages 122-123).*
Graphisme de Yuko Egusa.
*Basé sur une idée originale d'*Elisabetta Dami.
Traduction de Jean-Claude Béhar.

www.geronimostilton.com

Pour l'édition originale :
© 2010, Edizioni Piemme S.p.A. – Palazzo Mondadori, Via Mondadori, 1 – 20090 Segrate, Italie
sous le titre *Mistero a Castelteschio*
International rights © Atlantyca S.p.A. – Via Leopardi, 8 – 20123 Milan, Italie
www.atlantyca.com - contact : foreignrights@atlantyca.it
Pour l'édition française :
© 2015, Albin Michel Jeunesse – 22, rue Huyghens, 75014 Paris
Blog : albinmicheljeunesse.blogspot.com
Loi 49-956 du 16 juillet 1949 sur les publications destinées à la jeunesse
Dépôt légal : premier semestre 2015
Numéro d'édition : 21316/2
ISBN-13 : 978 2 226 25877 9
Imprimé en France par Pollina S.A. en mars 2015 - L71857

Stilton est le nom d'un célèbre fromage anglais. C'est une marque déposée de Stilton Cheese Makers' Association. Pour plus d'informations, vous pouvez consulter le site www.stiltoncheese.com

Geronimo Stilton

COUP DE FOUDRE
À HORRYWOOD

ALBIN MICHEL JEUNESSE

UNE OMBRE
DANS LA NUIT NOIRE...

Ce soir-là, je me trouvais dans mon bureau, au siège de *l'Écho du rongeur*, quand soudain il me sembla distinguer la **silhouette** d'une chauve-souris qui voletait devant la fenêtre.

ÉTRANGE ! Je scrutai le ciel noir dans lequel brillait la pleine lune, et nettoyai mes lunettes... Mais, à travers la fenêtre, je ne vis rien.

Je me remis au travail, tout en sirotant mon

infusion de camomille. J'avais l'impression que quelqu'un m'observait. Vraiment ÉTRANGE !
Un frisson frisa mon pelage.
Je tentai de continuer à écrire, mais j'éprouvais une inquiétude grandissante.
Je ne parvenais plus à me concentrer, alors j'éteignis la lumière et décidai de rentrer chez moi. Mais… encore plus ÉTRANGE, j'avais la sensation qu'on me suivait.
Je marchai de plus en plus *VITE*, si bien que j'arrivai devant la porte de ma maison en courant.
J'entrai et refermai à clef derrière moi. Puis, avec un soupir de soulagement, j'installai le CADENAS afin de me sentir plus en sécurité. Enfin, je me rendis à la cuisine pour me préparer une autre Tasse de camomille triple dose, ainsi qu'un sandwich au camembert.

J'eus à peine le temps de passer mon tablier qu'un souffle de vent fit frémir mes moustaches : la fenêtre était grande ouverte ! **ÉTRANGE !** Il ne me semblait pas l'avoir laissée ainsi.

J'allais la refermer en vitesse, quand j'entendis un bruissement d'ailes. Soudain, quelque chose frôla mes moustaches et tomba avec un bruit sourd sur ma queue !

Je poussai un cri d'épouvante :

SCOUIIIT !

Je me retournai et vis un gros colis, enveloppé dans un papier **violet**.

Une voix cria à mes oreilles :

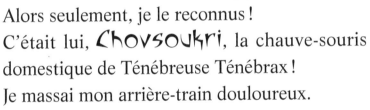

URGENTURGENT URGENTURGENT URGENTURGENT !

Alors seulement, je le reconnus !

C'était lui, **Chovsoukri**, la chauve-souris domestique de Ténébreuse Ténébrax !

Je massai mon arrière-train douloureux.

– Ouvre le paquet, c'est pour toi ! grinça l'animal.

Je défis l'emballage violet et découvris… une **PIERRE TOMBALE** !

Sous deux cœurs entrelacés étaient gravées deux initiales : G et B ! Très **ÉTRANGE** !

Dans le paquet, je découvris aussi un CD orné d'une étiquette violette sur laquelle était indiqué : *Coup de foudre à Horrywood*. Le tout était accompagné d'un message :

« Mon petit rondouillard, je t'envoie une nouvelle aventure (sur le CD!). Publie-la de toute urgence! Il s'agit d'une histoire d'amour et d'épouvante! Dans le PAQUET violet, tu trouveras également une bonbonnière de noces! Si tu veux découvrir qui va se marier à Châteaucrâne, lis vite cette histoire! »

J'étais très intrigué, et commençai immédiatement la lecture de ce récit...

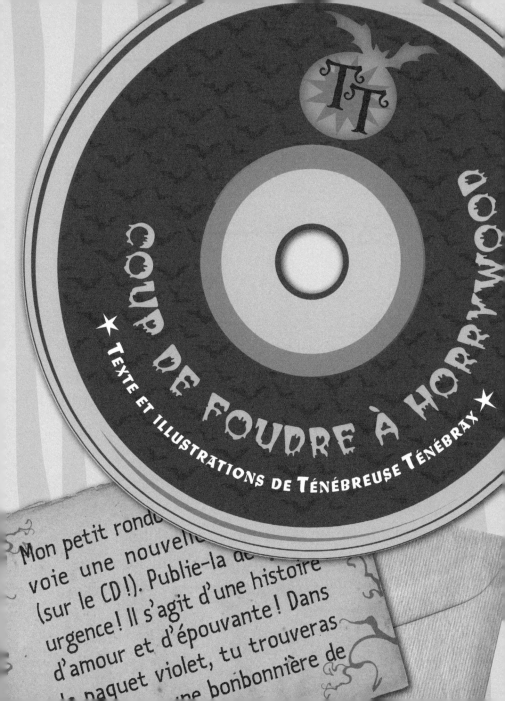

★ COUP DE FOUDRE À HORRYWOOD ★

TEXTE ET ILLUSTRATIONS DE Ténébreuse Ténébrax

Mon petit rond...
voie une nouvell...
(sur le CD !). Publie-la a...
urgence ! Il s'agit d'une histoire
d'amour et d'épouvante ! Dans
...paquet violet, tu trouveras
...ne bonbonnière de

Nous avons un problème...

– Tantine ?

Ténébreuse ouvrit lentement les yeux. Quelqu'un la secouait par la manche de sa chemise de nuit.

– Tantine, réveille-toi ! Nous avons un **problème** !

Ténébreuse se haussa sur son oreiller, encore tout endormie.

Frissonnette, sa petite nièce, était debout à son chevet. Kafka, le cafard domestique, qui dormait à ses pieds, ouvrit ses petits yeux et dressa les antennes.

L'aube pointait et la grande demeure de la famille Ténébrax, Châteaucrâne, était plongée dans un silence sépulcral.

– Que se passe-t-il ? dit Ténébreuse dans un **BÂILLEMENT**.

Le soir précédent, inspirée par la splendide nuit de pleine lune, elle avait travaillé très tard sur un article traitant des **LOUPS-GAROUS**, qu'elle projetait d'envoyer au *Journal du frisson*, le quotidien le plus célèbre de la vallée Mystérieuse. Elle était très ensommeillée, mais Frissonnette semblait vraiment au comble de l'**INQUIÉTUDE** !

– Gorgon ne va pas bien ! Il ne pue pas autant que d'habitude, il a perdu son beau teint **VERT BOUEUX** et... il refuse de se nourrir !

– Quoi ? Gorgon n'a pas

GORGON

Monstre des douves de Châteaucrâne.

LIEU DE PROVENANCE : les marécages fétides et inaccessibles.

ÂGE : entre 15 et 150 ans.

TAILLE : variable.

NOURRITURE PRÉFÉRÉE : il mange n'importe quoi, mais il a une nette prédilection pour la très vieille ferraille rouillée.

COULEUR PRÉFÉRÉE : vert boueux.

PARFUM PRÉFÉRÉ : odeur de vieilles chaussettes.

LIVRE PRÉFÉRÉ : les bandes dessinées du super-héros Mégavasouillard.

SIGNES PARTICULIERS : pustules verdâtres sur tout le corps.

D'après nos renseignements, il n'existe qu'un seul autre monstre de cette espèce, et c'est une femelle.

faim ? s'alarma Ténébreuse, soudain tout éveillée. *Ce n'est pas possible !* Ce monstre est doté d'un appétit sans limite !

Elle s'habilla et sortit en **HÂTE**, telle une **FURIE**. Le majordome l'attendait sur le seuil de la chambre.

Voyez-vous ? Il ne mange pas !

– Mademoiselle, la situation est tragique !
SUIVEZ-MOI !
Devant les douves, le majordome jeta dans la
VASE un vieux vélo déglingué, un des mets
préférés de Gorgon.
– **BLuIIRp !** éructa le monstre mélan-
colique, sans accorder le moindre regard à la
bicyclette.
– Voyez-vous, Mademoiselle ? commenta le
majordome. Depuis hier, Monsieur Gorgon
refuse de manger, et pousse des **BLUIIIRP**
désespérés !

Ténébreuse secoua la tête, pensive.

– Je ne l'ai jamais vu dans cet état. Avez-vous essayé de lui jeter une vieille godasse tiède ?

– Oui : Monsieur Gorgon ne l'a même pas touchée... Regardez là-bas, elle flotte encore !

– C'est grave ! Et si nous essayions une délicieuse boîte de clous ROUILLÉS ?

– Déjà fait. Il n'en a pas grignoté un seul.

– C'est très grave ! Et... une grosse poubelle, pleine d'immondices moisies ? Il n'a jamais pu résister à cela !

– C'est fait aussi, Mademoiselle... soupira le majordome, consterné. Il n'y a même pas goûté !

– C'est grave, très grave ! Et même GRAVISSIME ! Il ne nous reste plus qu'une solution...

– Vous ne pensez tout de même pas à...

– Oh que oui ! Nous devons convoquer de toute urgence une réunion de famille !

Le majordome *PÂLIT*.

– Réfléchissez bien, Mademoiselle ! Vous souvenez-vous de la dernière réunion ? Elle a été si animée que nous avons dû **reconstruire** toute une aile du château !

– C'est vrai ! Nous nous étions vraiment bien *AMUSÉS* ! Mais cette fois nous avons un problème sérieux à résoudre... Gorgon est **MALADE** !

RÉUNION DE FAMILLE

Le majordome grimpa en courant les marches qui menaient au sommet de la plus haute tour de Châteaucrâne, la TOUR DES CHAUVES-SOURIS, où étaient entassées les premières inventions de papi Frankenstaïe, du temps où il n'était encore qu'apprenti inventeur dans la boutique de Genius Maboulus.

Il pénétra dans une petite pièce sombre, et souleva une épaisse toile recouverte de moisissure verdâtre, sous laquelle était dissimulé un étrange et énorme ENGIN.

Il s'agissait de la vieille sirène Crèvetympans, dont on se servait toujours pour rassembler les habitants de Châteaucrâne dans les situations d'urgence.

Dès que le majordome fit TOURNER la manivelle, la machinerie émit un son ASSOURDISSANT, qui se propagea dans la vallée tout entière.

ALERTE !
ALERTE !
ALERTE !

L'un après l'autre, les membres de la famille Ténébrax rejoignirent la SALLE DES BANQUETS.

– **Soyez les bienvenus !** leur lança Ténébreuse pour les accueillir.

Puis elle ajouta d'un ton grave :

– J'ai convoqué cette assemblée parce que nous avons un problème…

Ténébreuse

Madame Latombe

Polter

Mamie Crypte

Bébé

– GORGON EST MALADE! la coupa Frissonnette.

Tous échangèrent des regards inquiets et perplexes.

– Malade? répéta madame Latombe. Quels sont ses symptômes?

– D'abord, il a un teint verdâtre assez bizarre…

Souterrat

Papi Frankenstäie

Frissonnette

Sgnic et Sgnac

Monsieur Joseph

Kafka

Anémine

beaucoup plus pâle que son habituel teint **VERT BOUEUX**, commença Ténébreuse.

– Avec ce temps délicieusement brumeux, c'est normal d'avoir une mine livide, commenta Souterrat.

– Peut-être… mais il y a autre chose : il pousse un cri triste et déchirant, un étrange **BLUIIIRP** qui fait monter les *larmes* aux yeux.

– Que d'histoires ! fit d'un ton sarcastique Caruso, le petit canari-garou, surgissant de la coiffure de madame Latombe. Il a une indigestion, voilà tout !

– Impossible ! rétorqua Frissonnette. Depuis hier, il n'a *RIEN* mangé !

– Ourgh ! sursauta monsieur Joseph. Même pas mon estouffade ?

Ténébreuse *secoua* la tête.

Un silence lourd d'inquiétude fondit sur l'assemblée… jusqu'à ce qu'une voix se fasse entendre :

– TEINT BROUILLÉ... MÉLANCOLIE... perte
de l'appétit... c'est évident ! Tous ces symptômes sont très clairs ! lança mamie Crypte en
se levant. JE SAIS DE QUOI SOUFFRE GORGON !
Tous les présents, y compris le cafard domestique Kafka et la plante carnivore Anémine,
pointèrent leurs regards sur elle.

– C'est exactement comme le héros du dernier
roman que j'ai lu, intitulé *Sans toi, mon cœur
moisit*, de Bobo Shakespeare... Gorgon est
amoureux et malheureux !

– Gorgon, amoureux ?!? s'exclamèrent les autres
en chœur. De qui ?

– Ah, ça, je n'en ai pas la moindre idée...

– Nous, nous le savons ! s'écrièrent ensemble
les terribles jumeaux Sgnic et Sgnac. Mais si
nous vous le disons... pourrons-nous avoir une
double portion de TARTE à l'estouffade ?

– N'avez-vous pas honte de parler de tarte alors

que Gorgon est malade ?! les gronda Ténébreuse. Allez, dites-nous tout de suite ce que vous avez DÉCOUVERT !

Sgnac sortit une CARTE POSTALE de la poche de Sgnic, et la posa sur la table.

– Voilà, nous l'avons trouvée au bord des douves.

– Alors Gorgon est vraiment amoureux ! s'enthousiasma Souterrat, attendri.

BLOBBINA

Monstresse, actrice aux studios Horrywood.

ÉTUDES : École d'art dramatique des marécages.

ÂGE : on ne demande pas son âge à une dame !

TAILLE : corpulente, mais bien proportionnée.

NOURRITURE PRÉFÉRÉE : bouquets de fleurs fanées.

COULEUR PRÉFÉRÉE : rose pâle.

PARFUM PRÉFÉRÉ : violette moisie.

LIVRE PRÉFÉRÉ : *Cœur de vase*, de Bobo Shakespeare.

SIGNES PARTICULIERS : un grain de beauté violet foncé, près de la bouche.

D'après nos renseignements, il n'existe qu'un seul autre monstre de cette espèce, et c'est un mâle.

– Et d'une **STAR** de cinéma ! ajouta papi Frankenstaïe.

– Comme c'est *romantique*... soupira madame Latombe. Dans ma jeunesse, j'étais amoureuse du célèbre acteur Allan Belon...

– **AMOUR**... pouah ! Quelle perte de temps ! grommela le grincheux Caruso.

– Tu ne manques pas de culot ! As-tu déjà oublié ton coup de foudre pour cette perruche pétillante ? rétorqua Ténébreuse en **POINTANT** le doigt sur son bec.

Le canari **ROUGIT**, et plongea dans la jungle des cheveux de madame Latombe.

– L'amour, c'est ce qu'il y a de plus beau au monde ! déclara le fantôme Polter. C'est presque mieux qu'un château **HANTÉ** !

– Mieux qu'un **CERCUEIL** doublé de velours ! renchérit Souterrat.

– Ourgh ! Mieux qu'une marmite d'e/touf-fADe avariée… murmura monsieur Joseph d'un ton rêveur.

– Et toi, papi ? N'as-tu jamais été amoureux ? lui demanda Frissonnette.

– Mais bien sûr que si ! Et je le suis toujours… de mes MOMIES adorées !

La salle bruissait de soupirs.

LA LETTRE D'AMOUR

Tous se demandaient comment aider Gorgon à conquérir sa belle.

– Il faudrait qu'il lui envoie une belle *lettre* d'amour ! proposa mamie Crypte, experte en romans roses et remèdes pour cœurs **brisés**.

– Mais Gorgon est trop TIMIDE pour l'écrire… objecta Souterrat, pensif. Ténébrounette… que dirais-tu de lui donner un petit coup de patte ?

– **Je m'en occupe !** fit-elle. Je monte immédiatement dans ma chambre pour la rédiger.

Provision secrète de biscuits apéritifs à l'étouffée (pour les petites faims)

Lézard lèche-écran (pour avoir un ordinateur toujours propre)

Tarentule presse-papiers

Coléoptère taille-crayons

Escargot à la bave correctrice

Vers de terre élastiques

Ténébreuse s'assit à son bureau, souleva la tarentule presse-papiers, et prit une feuille de parchemin jauni ; puis elle choisit un **CRAYON** de belle couleur violette, et le fit grignoter par son coléoptère pour qu'il le **TAILLE**.

– À présent, je peux commencer ! déclarat-elle. Voyons, comment s'adresse-t-on à une star monstrueuse ?

Chère beauté vaseuse ··· **NON.**

Sublime amas de boue ··· **NON, NON.**

TRÈS PUTRIDE ARTISTE DRAMATIQUE ··· **NON, NON, NON.**

La jeune rongeuse secoua la tête, froissa le troisième parchemin, et le jeta dans sa corbeille **DESTRUCTRICE** de document, en forme de gueule de chat-garou.

– J'y suis ! conclut-elle finalement.

Et elle se mit à écrire...

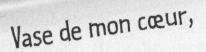

Vase de mon cœur,

C'est moi, Gorgon, fidèle admirateur.

Un à un, tous tes films j'ai dévoré...
J'ai même grignoté les pochettes des DVD !

Tes yeux sombres, comme une nuit de tempête,
Retournent mon estomac, et font tourner ma tête.

Je voudrais te montrer les couchers de soleil
Sur les douves de Châteaucrâne, royaume aux
                                    mille merveilles.

Je jetterai à tes pieds tout ce qui te plaira :
Cafards et pourritures, en veux-tu, en voilà !

Si à ces mots doux tu daignais répondre,
Tu ferais de moi le plus heureux des monstres.

Fétidement à toi,
Gorgon

Chovsoukri plana au-dessus du bureau.

– *As-tufini, as-tufini, as-tufini ?* grinça-t-il en rafale.

– Oui ! J'ai composé une lettre monstrueusement *romantique* ! Viens ici !

Elle l'attrapa par une oreille et lui tendit le rouleau de parchemin.

– Il faut que tu le portes à Blobbina, sur le plateau du film *Monstres et couinements*, aux Studios Horrywood.

– Hum… ces studios sont très **loin**, ça représente un sacré vol pour les atteindre ! protesta la chauve-souris.

– J'ai compris… soupira la jeune rongeuse.

Elle ouvrit un des tiroirs de son bureau et en sortit un sac de bonbons au chocolat.

Chovsoukri écarquilla les yeux d'un air gourmand.

– Sont-ils parfumés à la **fourmi** rouge ???
C'est ceux que je préfère...
– Tout juste ! Tiens !
Elle lui en lança deux, que Chovsoukri saisit au vol et dévora à
l'instant.
Satisfait, il sortit par la fenêtre
avec la missive serrée entre ses
petites **DENTS**.

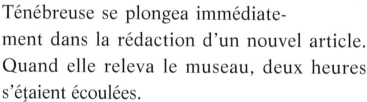

Ténébreuse se plongea immédiatement dans la rédaction d'un nouvel article.
Quand elle releva le museau, deux heures
s'étaient écoulées.
– **Étrange !** Chovsoukri n'est pas encore
rentré alors que c'est l'heure de son émission
préférée, *Même les chauves-souris pleurent*,
réfléchit-elle tout haut, inquiète. De plus, il ne
se perd jamais ! Je dois partir à sa recherche !

UN PLATEAU... À VOUS DONNER LE FRISSON !

Ténébreuse sauta dans son corbillard ultra-rapide, et prit la direction des studios de **CINÉMA** de Horrywood.

Depuis quelques jours, le célèbre réalisateur Épouvantovski tournait justement son nouveau film d'**HORREUR** : une aventure trépidante, peuplée de monstres en tout genre, avec Blobbina dans le rôle principal.

On murmurait que, grâce à son interprétation, Blobbina décrocherait enfin la très convoitée **Griffe d'or**, récompense réservée aux meilleurs acteurs de films d'épouvante.

– CHOU SOUKRIIII ! hurla Ténébreuse quand elle arriva sur le plateau de *Monstres et couinements*. Mais où est-il donc passé ?

Autour d'elle s'agitait une foule bigarrée de rongeurs affairés : acteurs marchant NeRVeuJe-meNt de long en large, techniciens transportant des projecteurs de toutes tailles, costumiers aux pattes chargées de tissus, maquilleurs et décorateurs qui COURAIENT, hors d'haleine, d'un bout à l'autre du plateau...

Soudain, une voix grave résonna derrière elle :

– Tes yeux sont *beaux* comme des perles de marécages...

Elle se retourna, mais ne parvint pas à discerner l'auteur du compliment.

– Merci ! répondit-elle tout de même en papillonnant des cils. C'est grâce à mon fard à la carapace de scarabée...

– Tes cheveux sont plus **LUISANTS** que des

serpents de marécages… continua le mystérieux galant.

– **Ohhh!** se rengorgea-t-elle. C'est sûrement grâce à mon shampoing «Reflets de marais»!

Elle s'approcha d'un grand panneau de décor, d'où semblait provenir la voix.

– … et ton PELAGE blond resplendit comme la pleine lune!

– Merci… Mais… mon pelage n'est pas blond!

En regardant derrière le panneau, elle découvrit un acteur qui déclamait les répliques d'une scène romantique.

Le rongeur s'interrompit et la fixa.

– Que puis-je pour vous?

– Heu… non, rien, enfin… si, auriez-vous par hasard croisé une petite chauve-souris violette? lui demanda-t-elle.

– Je crois en avoir aperçu une dans l'entrepôt des effets spéciaux, juste à côté.

L'entrepôt était plongé dans le **NOIR**.

– Zut, je n'y vois croûte ! s'énerva Ténébreuse, en franchissant le seuil. Mieux vaut allumer la lumière. Ah, voici l'interrupteur…

Mais quand elle pressa le **bouton**, un miaulement suraigu résonna :

C'était la sirène lance-miaulements, utilisée pour le générique de la célèbre série télévisée **LES CHATS-GAROUS**.

En dépit de ce hurlement assourdissant, Ténébreuse se mit en quête de Chovsoukri.

Dans le désordre du dépôt, elle trouva :

• un costume de FANTÔME ;

• une paire de **GANTS** de loup-garou ;

• un DENTIER aux canines très pointues ;

• un faux museau de chat sauvage aux moustaches **entor-tillées**.

Mais pas l'ombre de Chovsoukri !

– Je sais comment faire !

Ce disant, Ténébreuse sortit de sa poche une BRIOCHE fourrée à la confiture de moucherons, et elle la tendit devant elle.

– *Chovsoukrinou, bonheur de mes cauchemars... où es-tu ?*

On entendit un froissement d'ailes, suivi d'un cri sans pareil.

HIIIIIIIIIIIIIIIIIIIIIIIIIIIIIIIIIIIIIIIIII !

– Ah, te voilà enfin ! s'exclama la jeune rongeuse, tandis que Chovsoukri engloutissait son goûter préféré. As-tu transmis la lettre ?

– Miam, miam, miam... Eh bien, j'ai volé de-ci de-là toute la maudite journée, mais je n'ai pas réussi à mettre la griffe sur Blobbina ! Et personne ne sait où elle est !

– Hum... murmura Ténébreuse. Tout cela pue le mystère à plein museau !

Et elle se dirigea résolument vers une caravane.

– Suis-moi ! Le metteur en scène pourra peut-être nous fournir quelques indices...

UNE STAR... MONSTRUEUSE !

Le réalisateur Épouvantovski était assis à une table et sirotait une **infusion** aux herbes sauvages des marécages, tout en fixant d'un œil consterné un **POSTER** de Blobbina épinglé sur le mur de sa caravane.

– Vous permettez ? s'excusa Ténébreuse en passant le museau à travers la porte entrouverte.

Pour toute réponse, Épouvantovski poussa un long soupir et essuya une *larme* avec un petit mouchoir.

Chovsoukri entra aussi, et se mit à voleter en rond au-dessus du rongeur.

– *Quesepasse-t-il, quesepasse-t-il, quese-passe-t-il ?*

L'artiste demeura sans réaction. Il prit un plus grand mouchoir et souffla bruyamment dedans.

– Monsieur, nous **CHERCHONS** Blobbina... se hasarda Ténébreuse.

À l'évocation de ce nom, Épouvantovski fondit en larmes et enfonça son museau dans la nappe.

– AH! QUEL DÉSASTRE !

QUELLE TRAGÉDIE !

QUELLE MALÉDICTION !

Je suis un metteur en scène fini, lessivé, ruiné !!!

Et, portant une patte à son front, il déclama d'un ton dramatique :

– Il ne me reste plus qu'à m'adonner à l'élevage des limaces de course !

Ténébreuse, qui détestait les pleurnicheries, déclara d'un ton ferme :

– Allez, allez, je suis certaine que ce n'est pas si **terrible**! Racontez-moi tout !

Le réalisateur se moucha, et commença :

– Il s'agit de Blobbina... la star des stars ! Elle a... elle a... elle a...

– Elle a...? répétèrent en chœur Ténébreuse et Chovsoukri, impatients.

– *ELLE A DISPARU!!!* hurla Épouvantovski, explosant en sanglots glaçants.

Ténébreuse haussa le sourcil gauche.

– Je savais bien qu'il y avait un **MYSTÈRE** là-dessous... Heureusement, j'ai ce qu'il faut pour le résoudre !

Sur ces mots, elle sortit de sa poche plusieurs cartes.

– Voyons un peu... ça devrait être cela... **Débouchetout...** hum, non ! dit-elle en lisant la première carte, qu'elle jeta aussitôt.

Elle en prit une autre.

DÉBOUCHETOUT PLOMBIER

VOUS BOUCHEZ, NOUS DÉBOUCHONS !

TRANSPORTS AÉRIENS CATAPULTO

NOUS NE TRANSPORTONS PAS DE MATÉRIAUX FRAGILES !

– Peut-être celle-là : *TRANSPORTS AÉRIENS CATA-PULTO*... non, non, décidément non. Ah, voilà ! *Docteur Rougeolus*... Ah non, il ne connaît rien aux **MONSTRES**...

Le réalisateur fixait Ténébreuse d'un air perplexe, tandis que Chovsoukri attrapait au vol les cartons que la jeune rongeuse **BALANÇAIT** derrière elle.

Docteur Rougeolus

SPÉCIALISTE DES MAUX DE PIEDS. MONSTRES ET ASSIMILÉS : S'ABSTENIR !

– **AHHH !** J'y suis ! Regardez ça ! s'exclama-t-elle en agitant une CARTE DE VISITE sous le museau du metteur en scène.

MISTER M.
MONSTROLOGUE

Merci de déposer les messages urgents dans la boîte postale chauve-sourieuse n° 117

– Mais... mais... qui est ce **MISTER M.** ? balbutia Épouvantovski, de plus en plus perdu. Chovsoukri lui hurla dans l'oreille :
– Vous ne connaissez pas Mister M. ? C'est le célèbre, l'excellent, l'incroyable, l'inénarrable,

l'illustre, l'inimitable expert en monstres, monstrounets et MONSTRICULES !

– Il saura sûrement nous aider ! conclut Ténébreuse.

Puis elle écrivit rapidement un MESSAGE, et le confia à Chovsoukri.

– Allez ! Porte-le à Mister M. !

MISTER M.
MONSTROLOGUE

On raconte qu'il est né sur le pic Glacé, aux confins de la vallée Mystérieuse, où il eut comme compagnons de jeu les yetis blancs des cavernes. Il obtint son doctorat en monstrologie comparée en présentant une thèse intitulée «De l'importance du dialecte monstrien dans la communauté des monstres montagnards».

Il est l'auteur du *Catalogue raisonné des monstres de la Vallée* et le fondateur de l'association S.O.S. Monstres gélatineux en danger d'extinction.

Depuis une dizaine d'années, il s'est retiré de la vie publique.

N.B. : Personne ne connaît son visage !

UNE INVITATION À DÎNER POUR BOBO

Pendant ce temps, à la villa Shakespeare, un coup de sonnette retentissant interrompit brusquement la sieste quotidienne de Bobo.

Depuis que le célèbre *écrivain* avait pris possession de cette maison hantée, il avait dû adapter son rythme de vie à celui des autres locataires : TREIZE FANTÔMES* qui tous les soirs, à minuit sonnant, faisaient le

MÉNAGE, le réveillant immanquablement.
Le pauvre Bobo tentait de récupérer pendant
la journée, mais cet après-midi-là une visite
impromptue l'obligea à s'*EXTRAIRE* du lit.

– *COURRIER EXPRESS POUR
MONSIEUR SHAKESPEARE !*

– Q-quoi ! s'écria Bobo, la voix ensommeillée et
le **bonnet** de nuit enfoncé sur la tête.

– Je suis le messager du palais Rattenbaum !
Je cherche le très noble rongeur Bobo Shakespeare !

Bobo ouvrit la porte et se retrouva devant un
rat *BIZARRE* qui portait une perruque
blanche et poudrée, ainsi qu'un habit doré,
mais tout **RAPIÉCÉ** et environné de mites qui
voletaient.

– À l'attention du très honorable rongeur Bobo
Sha…

Bobo l'**INTERROMPIT** :

– Oui, oui, c'est bien moi, mais…

Avant qu'il n'ait pu finir sa phrase, le messager lui tendit une vieille enveloppe JAUNIE, puis s'en alla en bombant le torse et en haussant le museau. Tandis que Bobo tournait et retournait l'enveloppe entre ses pattes, près de lui APPARUT le fantôme de son arrière-arrière-arrière-grand-oncle

C'est pour moi ?

Pour l'honorable rongeur Bobo…

Ratelme, qui habitait avec lui à la villa Shakespeare.

– Y a-t-il du *courrier* pour moi, mon neveu ? s'enquit-il.

– Ben... il semble que ça me soit adressé... de la part de... Rattinbam... ou peut-être Rottendam... Rittanbam...

– Ah, tu veux sans doute dire... Rattenbaum ! Oui, cette famille est sur ma liste de *MARIAGE*.

– M-mariage ?!? Quel mariage ? s'étonna Bobo.

– Le tien, évidemment ! J'ai listé toutes les familles de la vallée Mystérieuse qui comptent des rongeuses en âge de se marier : chez les Rattenbaum, il y en a au moins **TROIS** !

– De quoi parles-tu ?!? Je n'ai aucune intention de me marier ! Je suis encore trop jeune !

– Comment ça, trop jeune ! Tu as déjà des

TOILES D'ARAIGNÉE sur le museau ! Pas de temps à perdre, ouvre cette **ENVELOPPE** ! Bobo poussa un soupir, et sortit la lettre.

> *Cher et très excellent rongeur Bobo Shakespeare,*
>
> *Nous avons été ravis d'apprendre, grâce à des commérages très fiables, l'arrivée à Lugubria d'un célèbre écrivain, en l'occurrence vous. Dans cette ville de balourds, un rongeur de votre classe se doit de fréquenter la très illustre, très ancienne et très aristoratique famille Rattenbaum.*
>
> *C'est pourquoi nous vous invitons à dîner dans notre palais ce soir même.*
>
> *Merci de nous faire l'honneur d'accepter (car nous ne tolérons aucun refus).*
>
> *Veuillez recevoir nos compliments, hommages, et révérences les plus variés,*
>
> *La très aristoratique famille Rattenbaum.*

– Parfait, mon neveu ! Tu vas pouvoir rencontrer les triplées Rattenbaum : on raconte que ce sont de *charmantes* rongeuses ! s'exclama Ratelme.

Puis il ajouta à voix basse :

– Il me suffit que tu te montres raisonnable et que tu en **épouses** une. Ainsi, tu me donneras un petit neveu qui grandira dans cette maison ! Bobo fut obligé d'endosser ses habits les plus *élégants*, et son arrière-arrière-arrière-grand-oncle lui noua même une cravate autour du cou.

Et voilà ! Tu es prêt à te rendre au palais Rattenbaum !

ARISTORAT OU PAS?

Bobo venait de sonner à la porte de la demeure des Rattenbaum. Mais au lieu d'un *CARILLON* normal, les propriétaires avaient installé une sonnerie assourdissante à base de coups de trompette.

PARAPAPAPA PAAAAAA

Bobo sursauta et poussa un cri.
– Ah, ce n'est que le bruit de la sonnette… réalisa-t-il ensuite.

Il regarda autour de lui, emBARRAſſé, espérant que personne n'avait vu sa réaction froussarde.

Autour du palais Rattenbaum, le parc était sombre, SILENCIEUX et désert. Ici et là, on distinguait des arbres secs, couverts de mousse verte, autour desquels s'entortillaient des plantes ÉPINEUSES.

Sur la façade du bâtiment pointaient des corniches dorées qui menaçaient de s'ÉCROULER, et le vent faisait claquer les battants branlants des fenêtres.

Bobo murmura pour lui-même :

– Je me suis sans doute trompé d'adresse… Cette demeure semble ABANDONNÉE depuis des années!

Il allait faire demi-tour, quand il entendit un grincement sinistre et vit la porte s'ouvrir lentement. Puis une 🐾🐾🐾🐾🐾 grisâtre surgit

Horloge
hors d'usage

Tuile
tombée

Vitre
brisée

Marche
manquante

Vase instable

Mur décrépit

Plante fanée

PALAIS RATTENBAUM

17, rue du Crépuscule
Lugubria – Vallée Mystérieuse

Selon une tradition qui ne repose sur aucune documentation, la construction de ce palais commença en 1313, par la volonté du grand condottiere Ratonzard de Rattenbaum, qui souhaitait posséder une demeure à la hauteur de sa puissance et de sa fortune. Depuis lors, le temps a passé, mais les glorieux descendants de Ratonzard ont continué à conformer l'édifice aux exigences (supposé█) de la (supposée) noble famille qui le possède. Au cours des siècles, on a ainsi dénombré 217 ravalements de façades, 513 remaniements, 778 rénovations, 212 agrandissements, 471 assainissements, 228 modernisations, 1 213 rétrécissements, 215 réajustements, etc.

Cependant, ces dernières années, la famille Rattenbaum a décidé de suspendre les travaux de restructuration, officiellement pour préserver l'atmosphère aristoratique et crépusculaire du lieu (en réalité parce qu'ils n'ont pas un so█).

La visite du palais est déconseillée, en raison de possibles (et même probables) écroulements de plafonds, cloisons et corniches.

dans l'entrebâillement, le saisit par le col, et le tira.

– Vite, à l'intérieur, le **FROID** va entrer ! Avec ce que me coûte le chauffage !

Bobo se retrouva dans un hall glacial et sombre, museau à museau avec un rongeur BĬZARRĔ qui portait un habit élégant, mais tout rapiécé, et un chapeau haut de forme défoncé.

– Éminent monsieur *Robo*, soyez le bienvenu dans notre superbe, LUXUEUSE et incomparable demeure !

– Mon nom est Bobo...

Sans l'écouter, le rongeur poursuivit :

– Je suis Amer Rattenbaum, le maître de ces lieux ! Et voici mes *merveilleuses*, sublimes et enchanteresses petites-filles !

Amer Rattenbaum

L'une après l'autre, trois rongeuses en robe du soir sortirent de l'ombre.

– Salut, je m'appelle TILLY !

– Salut, je m'appelle MILLY !

– Salut, je m'appelle LILLY !

Bobo s'éclaircit la voix et se présenta courtoisement :

– Heu… Je m'appelle Shakespeare… Bo…

– Bien sûr, nous le savons !

– Bien sûr, nous te connaissons !

– Bien sûr, nous savons déjà **TOUT** de toi !

Je m'appelle Tilly !   Je m'appelle Milly !   Je m'appelle Lilly !

– Sachez que mes petites-filles sont de SANG BLEU, plus bleu que bleu… précisa Amer.

Puis il s'approcha de Bobo jusqu'à lui effleurer la pointe des moustaches.

– Et vous ? Êtes-vous duc, marquis, comte ?

– Heu… en v-vérité… balbutia Bobo.

– Ah, ne me dites rien. Laissez-moi deviner… Vous êtes prince ! C'est évident !

– Oui ! Un prince au pelage ÉBOURIFFÉ ! s'exclama Tilly.

– Aux moustaches *tordues* ! ajouta Milly.

– Aux yeux de MERLAN FRIT ! conclut Lilly.

De nouveau, Amer saisit Bobo par le col.

– Hop, venez ! Nous allons tout de suite vérifier !

Bobo fut contraint de le suivre le long d'un sinistre CORRIDOR. Les murs étaient couverts de tableaux aux cadres dorés, qui présentaient

une succession de rongeurs aux mines DÉDAI-
GNEUSES.

– Voici la galerie du Sang-Bleu ! Tous les por-
traits de nos très *nobles* ancêtres sont accro-
chés… J'ajouterai modestement que notre
famille est la plus **ANCIENNE** de toute la vallée,
c'est indiqué dans le Livre…

    – Le L-Livre ? bégaya Bobo, tout en jetant
      des regards perdus autour de lui.

        – ***SUIVEZ***-moi et vous
         le constaterez par
        vous-même !

LE LIVRE

Amer s'arrêta devant un immense **portail** en bois massif, fermé par un impressionnant verrou.

Le rongeur fouilla ses poches et en sortit une énorme CLEF, qu'il manœuvra dans la serrure jusqu'à ce que le battant s'ouvre. Derrière, il y avait une autre porte protégée par un gros CADENAS. Amer l'ouvrit et se retrouva devant une troisième porte, plus petite, fermée par une multitude de **CADENAS** miniatures.

Après les avoir patiemment ouverts l'un après l'autre, le rongeur pénétra enfin dans une pièce.

– Venez ! lança-t-il à Bobo, qui s'exécuta avec crainte. Il est temps de consulter le Livre !

Au centre de la salle, pleine d'objets bizarres, apparemment très anciens, trônait un GRAND, un IMMENSE, un **GIGANTESQUE** livre ouvert.

Afin de le consulter, Amer escalada une échelle, plaça ses lorgnons à l'extrémité de son museau, et il commença à parcourir les lignes.

– Voyons, voyons, voyons… Chèkenbois… Chéma-tante… Chérubin… hum, non, je ne le trouve pas…

De plus en plus perplexe, Bobo se décida à demander :

– Que **CHERCHEZ**-vous au juste ?

– Votre nom, évidemment ! Ce livre recense toutes les familles aristoratiques de la vallée Mystérieuse, avec leurs arbres généalogiques, leur maison d'appartenance, leurs titres acquis, offerts, échangés, hérités, obtenus, inventés…

Mécanisme tourne-page

Estrade
porte-livre

– Pourquoi mon nom devrait-il y figurer ?

– Parce que vous êtes un ARISTORAT ! Il faut que vous soyez noble ! Sinon, comment pourriez-vous épouser une de mes très NOBLES petites-filles ?

– Ah, bien sû… comment ??? Me marier ! *Mille millions d'encriers !* JE NE VEUX PAS ME MARIER ! hurla Bobo, exaspéré.

Amer fit semblant de ne rien entendre.

– Est-ce que par hasard votre nom s'écrirait avec un Y ? enchaîna-t-il.

– Non !

– Un Z ?

– Non plus !!

– Un double X ?

– Pas du tout !!!

– Attendez que je regarde mieux !

Mais, en dépit de ses efforts, il ne put trouver

le nom de son hôte. Alors le rongeur sortit un
crayon de sa poche et chuchota :

– On peut toujours faire un petit ajout…

Et, de sa propre patte, il inscrivit sur le Livre :

Robo Chèquespir

– Regardez : voilà la preuve ! Vous êtes noble,
et même noblissime !

Sur ces mots, il descendit en
trombe de l'échelle et embrassa
fougueusement Bobo.

– *Soyez le bienvenu dans notre famille !*

Bobo tentait de se libérer de
l'étreinte.

– C'est un grand plaisir de recevoir
un I.N.V.I.T.É. tel que vous !

– Vous êtes très *généreux*… murmura Bobo dans un filet de voix.

– Non, non! C'est vous qui êtes généreux! En tant qu'I.N.V.I.T.É., c'est-à-dire **I**nestimable et **N**oble financeur de **V**ieilles demeures **I**ncroyablement menacées de **T**omber en décrépitude, **Etc.**!!! Heu…

Amer se racla la gorge.

– Vous savez, les immenses structures de ce palais auraient besoin de quelques menus travaux de **restauration**…

– *Quelques menus travaux?* J'ai pourtant l'impression qu'elles sont complètement en RUINE… commenta Bobo en fixant un morceau de plâtre qui OSCILLAIT dangereusement au plafond.

À ce moment, une voix nasillarde résonna dans le palais :

– Le grand chambellan a le plaisir d'annoncer que le dîner est servi !

LE DÎNER INVISIBLE

Autour de la grande table branlante de la salle à manger, la famille Rattenbaum était réunie au **COMPLET**.

Dame Fifi, grand-mère des triplées, portait une robe de soie toute RAPIÉCÉE, qui avait été très à la mode autrefois.

Elle s'approcha de Bobo et lui tendit sa patte à baiser.

– En-enchanté, madame, balbutia-t-il en s'inclinant maladroitement.

– Enfin ! s'exclama la rongeuse. Cela faisait des siècles que nous n'avions pas reçu un véritable

gentilrat ! Ce soir, nous servirons en votre honneur un repas vraiment **exceptionnel**…

Amer se pencha vers une de ses petites-filles.

– Milly, apporte le menu !

– Mais, grand-père, je suis Tilly !

– Oui, c'est pareil, ma *beauté sucrée*…

– Voilà, déclara Tilly en tendant une feuille **CRASSEUSE** à Bobo. C'est le dernier chic dans la haute société : **LE DÎNER INVISIBLE** !

Enfin un gentilrat !

Enchanté, madame !

LE DÎNER INVISIBLE

Hors-d'œuvre

– Petits-fours très légers
(si légers qu'ils se sont envolés)

– Mousse d'air

Entrées

– Soupe d'algues d'une mer qui n'existe pas

– Souvenirs de vermicelles d'un temps révolu

Plats

– Délice de poisson rare
(tellement rare que nous n'en avons pas trouvé)

– Arôme de fromage oublié

Dessert

– Tarte imaginaire
(Imaginez le goût de celle que vous aimeriez déguster)

Boisson

– Nectar imperceptible et transparent
qu'on ne sent même pas

Pendant ce temps, le grand chambellan, qui n'était autre que le messager de l'après-midi, commença à servir le repas.

Les plats et les assiettes étaient vides, ce qui n'empêchait pas les Rattenbaum de s'extasier :

– *Quel délice !* C'est exquis ! Succulent !

– Amer chéri, aurais-tu l'amabilité de me verser encore un peu de ce nectar… il est si délicat ! roucoula Dame Fifi.

Amer saisit la carafe vide, et fit semblant de remplir le verre de son épouse.

Bobo était ÉBERLUÉ, mais surtout son estomac commençait à crier famine ! À ce moment, son téléphone portable se mit à sonner dans la poche de son veston.

DRIIIIIIING ! DRIIIIIIING ! DRIIIIIIING !

Bobo sauta sur l'occasion. Il se leva de table et s'éloigna.

_ **Allô, Bobichouuuu ?** fit une voix à l'autre bout du fil.

– Ténébreuse ? C'est toi ?

– Es-tu à la villa ? Comment vont les TREIZE FANTÔMES ?

– Non, en vérité, je suis à…

– Peu importe où tu es. Je suis en pleine 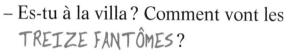, et j'ai besoin de ton aide !

– En-enquête ?

– Oui, il s'agit d'une affaire MYSTÉRIEUSE ! J'ai demandé conseil à un monstrologue… Mais ne perdons pas de temps : retrouvons-nous devant les Studios Horrywood à **minuit** pile !

– Mi-minuit pile ? répéta Bobo, inquiet.

Ténébreuse avait déjà raccroché.

– *Robo*, avec qui…

– … étais-tu en train…

– … de parler ?

Les triplées ENTOURÈRENT
Bobo, en arborant des mines
inquisitrices.

– Avec une amie, Ténébreuse Ténébrax. Peut-être la connaissez-vous ?…

Pour toute réponse, les rongeuses poussèrent
un hurlement et explosèrent en **PLEURS** hys-
tériques.

– M-mais… m-mais… que se passe-t-il ?
demanda Bobo, interloqué.

– Ne prononce pas le nom de cette **PIMBÊCHE**…
PFFFT !

– De cette PRÉTENTIEUSE… SNIFF !

– De cette INSUPPORTABLE rongeuse… SOB !

Dame Fifi intervint :

– Ai-je bien entendu, comte *Robo* ? Devez-vous
nous abandonner ?

– En effet, j'ai un autre engagement… Je dois me rendre aux studios de **CINÉMA**.

– Vous emmènerez mes petites-filles, j'espère !

– **OUIIII !** exultèrent en chœur les trois grâces.

Fantastique !

Hourra !

Ouiiiiii !

Bobo dut se résigner et, après un rapide passage à la villa pour se changer, il prit la direction des Studios Horrywood, accompagné par les triplées.

ENQUÊTE AU CLAIR DE LUNE (PLEINE !)

– *Monstres et couinements*, scène 16, première !
Clap! Action! hurla Épouvantovski, qui
s'était résolu à tourner les scènes du film dans
lesquelles Blobbina n'apparaissait pas en atten-
dant qu'elle revienne.

Dès que les triplées Rattenbaum arrivèrent sur
le plateau, elles se **PRÉCIPITÈRENT** sur le
réalisateur, en lançant de petits cris enthou-
siastes.

– NOUS VOULONS...
– ...AVOIR...
– ...UN RÔLE !!!

Le metteur en scène leva un sourcil, pensif.

– Il sera peut-être possible de vous faire participer au **FILM**, mais…

– *Robo,* as-tu entendu ? Nous allons être **actrices** ! J'exige une caravane rien que pour moi !

– J'exige une **LOGE** dorée !!

– J'exige toute une équipe de *MAQUILLEURS* !!!

À ce moment, les douze coups de minuit résonnèrent, et Bobo partit à la recherche de Ténébreuse, abandonnant Épouvantovski aux griffes des triplées.

Nous… brûlons… de commencer !

– Bobichou ! le héla son amie. Je suis là ! Il faut tout de suite commencer l'𝐄𝐍𝐐𝐔𝐄̂𝐓𝐄 !

– Mais que se passe-t-il ? Et pourquoi sommes-nous ici à cette heure de la nuit ?

– Gorgon, le monstre des douves de Château-crâne, est tombé *amoureux* de Blobbina, la grande star de Horrywood. Mais celle-ci a *DIS-PARU* et le monstrologue…

– Un mon-monstrologue… bégaya Bobo, dépassé.

– Bien sûr, Mister M. ! C'est le plus grand connaisseur de 𝐌𝐎𝐍𝐒𝐓𝐑𝐄𝐒 de toute la vallée. Il me fournit les indices nécessaires pour résoudre le mystère ! C'est lui qui m'a suggéré de venir ici à minuit pile. Il m'a envoyé un PAR-CHEMIN :

Premier indice :
Studios Horrywood.
Minuit !

Mister M.

– Qu'est-ce que j'ai à voir avec tout ça ?

– Tu dois m'aider ! Je ne peux pas enquêter toute seule ! **ALLONS-Y !**

– M-mais où ?

À cet instant, une marche funèbre résonna : c'était la sonnerie du téléphone de Ténébreuse.

– Un MESSAGE de Mister M. !

> Deuxième indice :
> Parc des cauchemars.
> Mister M.

– Le Parc des **CAUCHEMARS**, qu'est-ce donc ? s'inquiéta Bobo.

– C'est un lieu **FANTASOURISTIQUE** ! Il se trouve dans l'aile est des Studios, et il est complètement à l'abandon. Désormais, personne ne le visite…

– Alors pourquoi devrions-nous y aller ?!?

– Pour résoudre ce **MYSTÈRE**, répliqua Ténébreuse en entraînant énergiquement son ami sur un étroit sentier.

P-pourquoi devrions-nous y aller ?!?

Pour résoudre ce mystère !

ATTENTION OÙ TU METS LES PATTES !

Au bout du SENTIER, ils se trouvèrent devant l'entrée du Parc des CAUCHEMARS, dans l'aile est des Studios Horrywood. Dès que Ténébreuse et Bobo l'eurent franchie, l'imposant portail se referma avec un bruit **métallique**.

Nos deux amis s'enfoncèrent dans une épaisse forêt, dans laquelle s'**entrecroisaient** plusieurs chemins.

– Quelle direction devons-nous prendre ? demanda Bobo, perplexe, en se grattant la tête et en s'appuyant contre un ARBRE.

BADABOUM !

L'arbre s'écroula à terre. Bobo en eut un instant le souffle coupé, avant de tomber à son tour.

– Bobichou, quel nigaud tu fais ! Tu renverses les DÉCORS !

– Les décors ?

– Ne vois-tu pas que ce ne sont pas de vrais arbres, mais des panneaux peints ?

– *Mille millions d'encriers !* s'écria Bobo en regardant derrière une autre plante. Toute la forêt est FAUSSE !

– C'était la Forêt obscure, expliqua Ténébreuse, une attraction du Parc des cauchemars… tout comme le Lac noir ! Regarde là-bas !

Un peu plus loin s'étendait un petit lac aux eaux sombres comme de l'**ENCRE**.

Ténébreuse s'en approcha.

– Cet étang a été rendu célèbre par le téléfilm *Tentaculaires Tentacules…*

C'est alors que Bobo trébucha, tout près de la rive, **ACTIONNANT** ainsi une manette dissimulée entre les cailloux. L'eau se mit aussitôt à bouillonner, et au centre du bassin émergea un mystérieux tentacule. Il s'allongea vers l'écrivain et le saisit par la cheville.

Auuuuuu seeeeeecouuuuuurs !

hurla le pauvre Bobo, soudain suspendu la tête en **Bas** au-dessus de l'eau, balancé en tous sens par le monstrueux tentacule.

Il se retrouva ensuite face à deux épouvantables yeux verdâtres qui le fixaient d'un air hostile.

– Bobichou, cesse de t'amuser avec la pieuvre géante ! Nous avons un mystère à résoudre !

– **Aiiide-moiiiii !!!**

– Bon, je vais stopper le mécanisme ! concéda Ténébreuse.

Le panneau de contrôle du robot-pieuvre se trouvait sur la rive opposée. La jeune rongeuse enfonça une touche.

– Pourvu que ce soit la bonne… murmura-t-elle. Mais le monstre mécanique commença à **tourner** à toute vitesse.

– **J'ai le mal de meeeeeeeeer !**

– Essayons celui-là ! fit Ténébreuse, en appuyant sur un autre bouton.

La pieuvre sembla s'arrêter un instant… puis se mit à chatouiller vigoureusement Bobo avec les pointes de ses tentacules !

– Ha, ha, ha ! Ho, ho, ho ! Hi, hi, hi !

s'esclaffait Bobo.

– Il n'y a pas de quoi rire, Bobichou ! s'énerva Ténébreuse, les poings sur les hanches. Tu nous fais perdre du temps !

Exaspérée, elle pressa la troisième TOUCHE du panneau. Enfin, la pieuvre s'immobilisa et lâcha prise.

Splash !

Bobo dut rejoindre le bord à la nage.
– Pourquoi ne suis-je pas resté à la maison ?!

LE DERNIER INDICE

– Bobichou, je ne peux pas passer ma vie à t'attendre ! lança Ténébreuse à son ami en s'éloignant.
– Une minute ! gémit celui-ci en ESSORANT ses vêtements TREMPÉS. Ne me laisse pas tout seul !
Il tenta de rattraper la jeune rongeuse, mais trébucha et s'écroula pour la énième fois, le museau dans l'HERBE.
– Essayons de suivre ce chemin, dit Ténébreuse en indiquant un étroit sentier de GRAVIER. Qu'en penses-tu, Bobichou ? Bobichou ? Où es-tu encore passé ?

– **HUmpf BFRT!** répondit
Bobo, la bouche pleine de végétaux.

– Je n'y crois pas, tu es encore tombé !

– Oui, mais… **PFU/…** Je me suis pris les
pattes sur une loupe ! précisa-t-il en crachant
un trèfle. Les gens laissent vraiment traîner
n'importe quoi !

– Hein ? Fais-moi voir… Il y a aussi un **MES-
SAGE** de Mister M.

Regardez où vous
posez vos pattes !

Mister M.

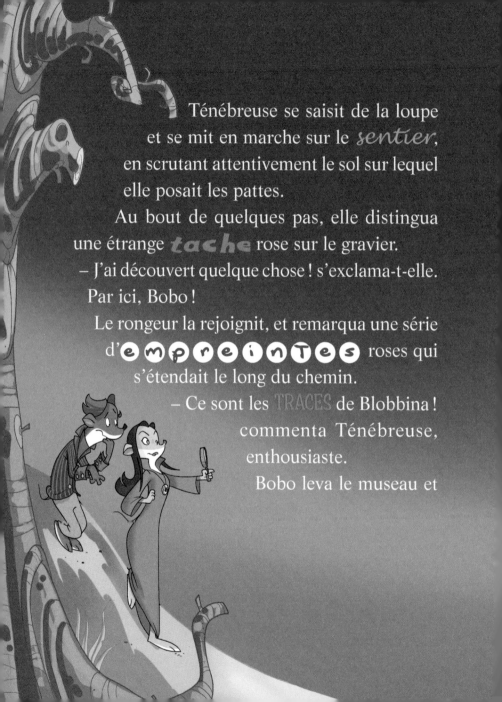

Ténébreuse se saisit de la loupe et se mit en marche sur le *sentier*, en scrutant attentivement le sol sur lequel elle posait les pattes.

Au bout de quelques pas, elle distingua une étrange *tache* rose sur le gravier.

– J'ai découvert quelque chose ! s'exclama-t-elle. Par ici, Bobo !

Le rongeur la rejoignit, et remarqua une série d'**empreintes** roses qui s'étendait le long du chemin.

– Ce sont les TRACES de Blobbina ! commenta Ténébreuse, enthousiaste.

Bobo leva le museau et

observa le sentier qui s'enfonçait
dans l'obscurité. En aiguisant son
regard, il aperçut la silhouette
d'un SINISTRE château,
comportant une tour unique
d'où s'échappait une faible
LUEUR.

– Ren-rentrons chez nous,
implora Bobo dans un
filet de voix.

La FROUSSE faisait
claquer ses dents.

Mais Ténébreuse courait
déjà vers le manoir.

Le sentier se terminait devant un gigantesque pont-levis, qui paraissait très **BRANLANT**. En dessous, les douves semblaient si profondes et si boueuses qu'on ne parvenait pas à en voir le fond. Çà et là, de petits **YEUX** jaunes affleuraient, et on entendait le claquement sec de mâchoires qui se fermaient.

– Qu-qu'est-ce donc ? bégaya Bobo.

– Des CROCODILES, je suppose, répondit tranquillement Ténébreuse en franchissant le pont, suivie par un Bobo **tremblotant**.

L'intérieur du château était traversé par les rares rayons de lune qui s'insinuaient par les étroites fenêtres.

– Seule la tour est éclairée… réfléchit à haute voix Ténébreuse. Allons-y !

Un escalier long et exigu conduisait jusqu'au sommet. Ténébreuse grimpa les marches quatre à quatre, tandis que Bobo se traînait péniblement

derrière elle, ahanant et jetant des regards ꟼNQUꟼetʃ par les meurtrières de la tour.

– Nous montons trop haut, tu ne trouves pas ? Je serais d'avis qu'on s'arrête là...

– Bobichou, tu ne souffrirais pas de VER- TIGE au moins ? Tu verras, quand je t'emmè- nerai au sommet de la tour des chauves-souris, à Châteaucrâne : le panorama est à couper le souffle !

– En vé-vérité... puff... du SOUFFLE, je n'en ai déjà plus !

Après une série interminable de marches, ils parvinrent dans une petite salle aux murs de pierre.

– Que-que vois-je au mi-milieu de la pièce ? bredouilla Bobo. On dirait un cer-cer-cercueil !

– C'est effectivement un CERCUEIL de cris- tal ! s'émerveilla Ténébreuse. Approchons-nous.

À travers la paroi transparente, Bobo put regarder

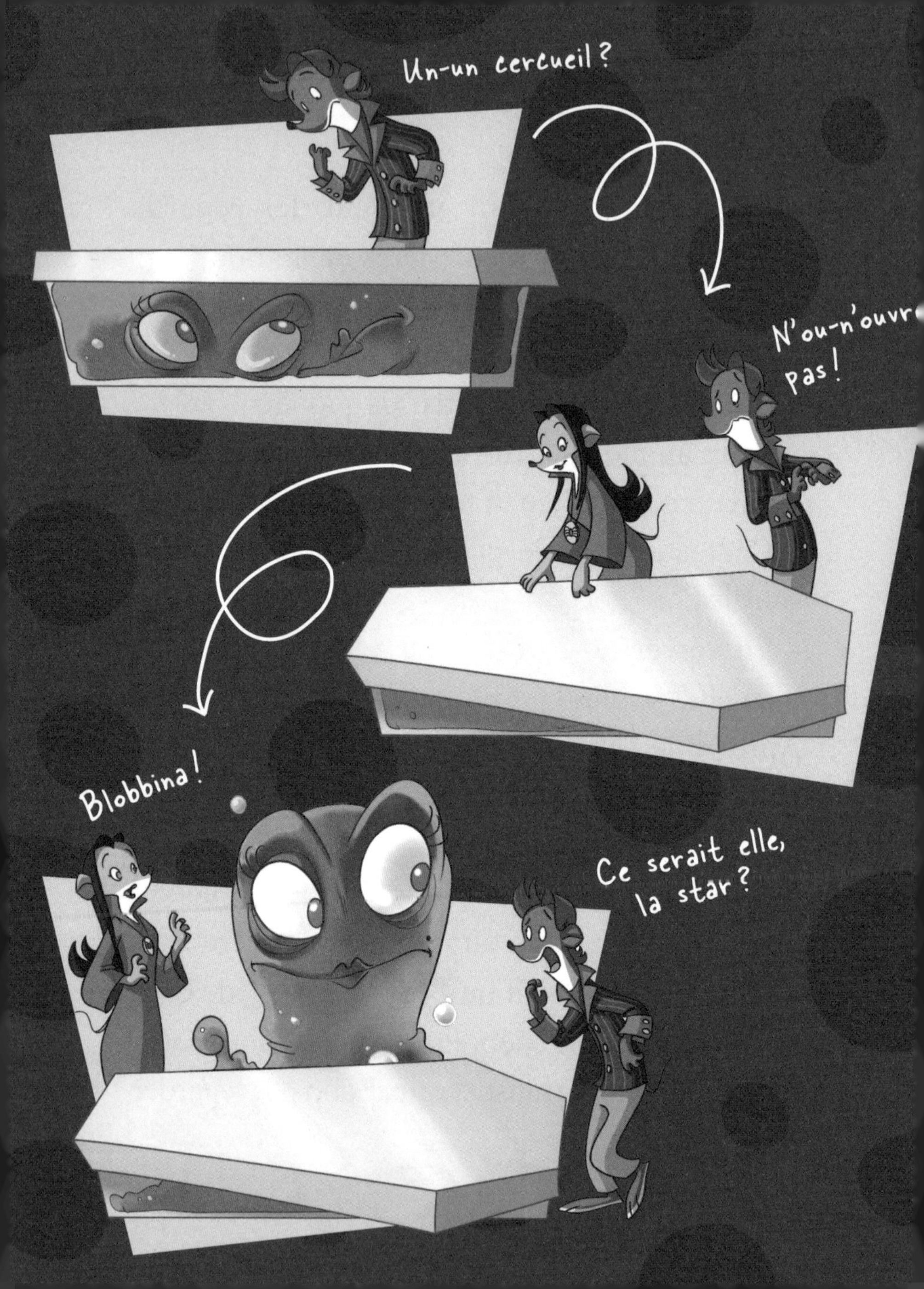
Un-un cercueil ?
N'ou-n'ouvr
pas !
Blobbina !
Ce serait elle,
la star ?

l'intérieur du cercueil, et il fit un saut en l'air : deux gros yeux bordés de longs **CILS** le fixaient !

Ténébreuse retira le couvercle, et aussitôt surgit un monstre complètement rose, à l'aspect GÉLATINEUX.

– Blobbina, c'est toi !

– Co-comment ? Ce serait Blobbina ? Mais je croyais qu'il s'agissait d'une grande star de cinéma !

– En effet ! C'est la star la plus **MONS-TRUEUSE** de la vallée ! Nous l'avons enfin retrouvée !

UN RAPT !

Tandis que Bobo observait avec DÉGOÛT la gélatine rose qui maculait le carrelage de la pièce, Ténébreuse se mit à interroger Blobbina, utilisant avec aisance le langage des monstres.

– **BLuuuRp BBLuBLu BLuBLuu-uRp!** gargouilla Blobbina.

– **Bluirp ?!?** s'étonna Ténébreuse.

– **BLuuuu**... conclut la monstresse.

– Ténébreuse, comprends-tu vraiment les grommellements de cette... cette... bref... de cette « je ne sais trop quoi » ?

– Bien sûr ! Le MONSTRIEN est enseigné aux jeunes de Lugubria dès leur plus tendre enfance ! C'est une tradition !

Blobbina émit une plainte pathétique.

– Oh, la pauvre ! Elle a été **ENLEVÉE** par le perfide docteur Kauchemardus ! traduisit Ténébreuse.

– D-docteur… qui ?

– Il s'agit de l'ancien directeur du Parc des cauchemars. Autrefois, ce lieu était l'attraction la plus célèbre des Studios Horrywood. Ah, quand j'étais petite, j'en ai fait, des tours, sur le *MANÈGE* Retourneboyaux ! Mais ensuite il a été fermé…

– Ça ne m'étonne pas ! s'exclama Bobo. C'est vraiment un lieu d'**HORREUR** !

– C'est ce qui faisait son charme ! Mais au bout de quelques années les gens n'avaient plus peur, et le parc fut ABANDONNÉ.

Docteur Kauchemardus

QUI EST-IL : expert dans l'art de provoquer cauchemars, frissons, chair de poule et cris de terreur d'intensité variable.

OÙ VIT-IL : dissimulé dans un antre sombre et secret des Studios Horrywood. On raconte qu'il ne sort que la nuit.

ÉTUDES : diplômé de l'académie des Cauchemars, avec une thèse intitulée « Hurlement, cris et autres plaintes ».

VIOLON D'INGRES : tenir à jour l'inventaire des gémissements les plus glaçants des films d'horreur.

RÊVE SECRET : rétablir le Parc des cauchemars dans sa splendeur d'antan, avec ses attractions d'épouvante, désertées depuis des années.

À ce moment, Blobbina intervint :

– **BLUPPPP BLUIRP BLU BLUB !**

– Elle dit que le docteur Kauchemardus rêve de rouvrir le parc…

– **BLUP BLUUUP BLU !**

– … et qu'il veut l'obliger à en devenir l'attraction principale !

– **BLUP… !** gémit tristement la monstresse, tandis qu'une LARME s'échappait d'un de ses gros yeux.

– La pauvre ! Sa vie, c'est de jouer la comédie sous les projecteurs, et non de demeurer **PRISONNIÈRE** d'un quelconque parc de loisirs ! Nous devons la sortir d'ici.

Ténébreuse saisit son téléphone et composa le numéro de Châteaucrâne.

– Majordome ! C'est une **URGENCE** ! Accourez à l'entrée du Parc des **CAUCHEMARS**. Je vous en prie, venez avec votre side-car… Oui, celui

que vous utilisez pour emmener Gorgon aux **MARÉCAGES** !

Puis elle s'adressa à Bobo :

– Fuyons d'ici ! Tu ▬▬▬▬▬▬▬ Blobbina, et je vous suivrai !

Alors qu'ils dévalaient les marches, une voix tonna soudain derrière eux :

– OÙ ALLEZ-VOUS COMME ÇA ?!?

Ténébreuse se retourna et distingua la silhouette spectrale du docteur Kauchemardus qui se profilait en haut de l'escalier.

– *Il nous a découverts !* hurla-t-elle.

Dans la confusion, Blobbina heurta de plein fouet Bobo, qui s'enfonça dans son corps visqueux. Une grosse boule de **GÉLATINE** rose, d'où pointaient uniquement la tête et les pattes du pauvre écrivain, roula jusqu'en bas.

Ténébreuse les rejoignit en courant et s'exclama :

– *VITE !*

Puis elle shoota dans le gros ballon rose, qui bondit hors du château et *dévala* le sentier qui menait à l'entrée du parc.

Le docteur Kauchemardus, furibond, les poursuivait en hurlant :

– Revenez immédiatement ! CE MONSTRE EST À MOIïïïïïï...

Mais il glissa sur une **FLAQUE** de vase rose,
et finit les quatre pattes en l'air.
À ce moment, le majordome arriva en **klaxon-
nant**. Ténébreuse poussa la monstresse rose sur
le siège du side-car et sauta en selle.
– À Châteaucrâne, vite !

Nous avons réussi !!!

FIANÇAILLES À CHÂTEAUCRÂNE

L'aube pointait à l'**HORIZON**, éclaircissant le ciel de la vallée Mystérieuse, quand la moto freina devant les douves de Châteaucrâne. D'un coup de KLAXON, le majordome appela la famille Ténébrax.

– BIENVENUE, TÉNÉBREUSE!! Mais qu'est-ce que c'est que cette étrange… chose ? grinça Chovsoukri, en pointant son aile vers la monstresse.

– C'est BLOBBINA! Nous l'avons retrouvée. Elle avait été enlevée par le docteur Kauchemardus!

– C'est bizarre, observa Souterrat, Blobbina porte des **moustaches** et une *queue* de rongeur…

– Oh, c'est encore cet empoté de Bobo. Blobbina lui est tombée dessus, et il est resté englué en elle ! expliqua Ténébreuse.

– **BEURK !** fit Bobo, qui était parvenu à s'extraire du piège de gélatine rose.

À ce moment, l'eau des douves se mit à **bouillonner**, et de la vase pointèrent deux yeux stupéfaits.

Beurk !

C'était Gorgon, qui fixait Blobbina d'un air énamouré.

– **BLUUUB !** fit le monstre soudain rayonnant.

– **BLIRP !** répondit Blobbina en papillonnant des cils.

– **AH, L'AMOUR...** soupira mamie Crypte, une patte posée sur son cœur.

– Ces deux-là étaient faits l'un pour l'autre, c'est évident, ajouta Souterrat.

Frissonnette accourut vers Ténébreuse.

– Tantine ! Regarde ce qui vient d'arriver pour toi !

Elle lui tendit un parchemin violet.

– C'est de la part de Mister M. !

– B-bon, ben alors je peux peut-être m'éclipser... souffla Bobo en tentant de s'**ÉLOIGNER**.

Mais une patte le retint par le collet.

– Non, non, non, Bobichou, où vas-tu comme ça ? Il faut que tu restes ici pour servir de **TÉMOIN** ! déclara fermement Ténébreuse.

– T-témoin ?

Tous mes compliments !

Vous avez brillamment résolu
cette affaire (grâce à mes indices,
évidemment !). Cette fois, le docteur
Kauchemardus n'a pas réussi à mettre
en œuvre ses plans maléfiques, et
Blobbina est en sécurité. Vous l'avez
compris : Gorgon et elle s'aiment
depuis bien longtemps ! Je pense que,
d'ici peu, un beau mariage aura lieu
à Châteaucrâne !
Envoyez-moi les photos pour mon
album « Instants monstrueusement
romantiques ».

Tous mes vœux,   **MISTER M.**

– Oui, pour le mariage ! Tu seras le témoin de Blobbina… et moi celui de Gorgon !

Bobo s'*ÉVANOUIT* sur-le-champ. Mais il fut aussitôt réveillé par la sonnerie de son téléphone.

C'était un message des triplées Rattenbaum : «*Robo*, où es-tu passé ? Nous avons obtenu un rôle pour toi dans le **FILM** : tu devras descendre le long d'un fil de toile d'araignée dans un puits sans fond ! Es-tu content ? »

Sans hésiter, Bobo s'*ÉVANOUIT* de nouveau.

Pendant ce temps, papi Frankenstaïe avait apporté aux douves un seau plein de vieux boulons **ROUILLÉS**.

– Notre Gorgon semble enfin heureux… Faisons un test pour le vérifier !

Sur ces mots, il jeta le tout dans les douves.

Gorgon, vif comme l'éclair, dévora les boulons et le seau, sauf la poignée, qu'il trouva trop

propre à son goût. Il la recracha donc, frappant Bobo de plein fouet.

L'écrivain, qui venait à peine de reprendre connaissance, s'*ÉVANOUIT* pour la troisième fois.

Test concluant ! s'esclaffa Ténébreuse. Voilà encore une grandiose aventure d'épouvante à envoyer à mon ami *Geronimo Stilton* !

FIN

UNE ÉCRIVAINE D'ÉPOUVANTE

Quand j'eus fini de lire le manuscrit, Chovsoukri s'égosilla dans mes oreilles :

– Elle t'a plu, cette histoire, n'est-ce pas ? As-tu compris qui sont les **MARIÉS** ?

– Ben, oui… les deux **MONSTRES** de la vallée Mystérieuse : Gorgon et Blobbina ! répondis-je.

– Exact ! ricana la chauve-souris. La pierre tombale que tu as reçue est la bonbonnière de noces ! Cela signifie que, toi aussi, tu es invité ! Es-tu prêt à partir ?

– Heu… en vérité… un mariage entre monstres… BRRR ! J'en ai les moustaches qui frisent de terreur !

– Pas d'histoires : ton voyage est organisé !
Mais avant, tu dois publier ce Livre, et en
VITESSE ! Ténébreuse en a déjà un autre de prêt !
Chers amis rongeurs, il était désormais clair
que la vallée Mystérieuse pouvait s'enorgueillir
de posséder une grande, une fantasouristique
écrivaine d'ÉPOUVANTE...

TÉNÉBREUSE TÉNÉBRAX !

TABLE DES MATIÈRES

1. Mont du Yeti pelé
2. Châteaucrâne
3. Noyer de la Discorde
4. Palais Rattenbaum
5. Fleuve Tourbillonnant
6. Pont de l'Agonie
7. Villa Shakespeare
8. Marais Vaseux
9. Autoroute du Géant
10. Lugubria
11. Académie des Arts du frisson
12. Studios Horrywood

CHÂTEAUCRÂNE

1. Douves vaseuses

2. Pont-levis

3. Entrée monumentale

4. Caves moisies

5. Arcades avec vue sur les douves

6. Bibliothèque poussiéreuse

7. Salle de l'hôte indésirable

8. Salle des momies

9. Tour de garde

10. Escalier grinçant

11. Salle des banquets

12. Garage pour les corbillards d'époque

13. Tour enchantée

14. Jardin des plantes carnivores

15. Cuisine fétide

16. Piscine des crocodiles et bassin des piranhas

17. Chambre de Ténébreuse

18. Tour des tarentules musquées

19. Tour des chauves-souris

DANS LA MÊME COLLECTION

**Le Treizième Fantôme
de Lugubria**

Et aussi...

**Le Royaume
de l'Horloge
magique**

**Le Voyage
dans le temps
tome VI**

**Peut-on
adopter un bébé
terriblosaure ?**

**Dépêche-toi,
Cancoyote!**

**Geronimo,
l'as du volant**

**Bons baisers
du Brésil**

Noël à New York

**Sur la piste
du Livre d'or**

**Alerte aux
pustules bleues!**

CHERS AMIS DU FRISSON,
À BIENTÔT POUR UNE
NOUVELLE TÉNÉBREUSE
AVENTURE !